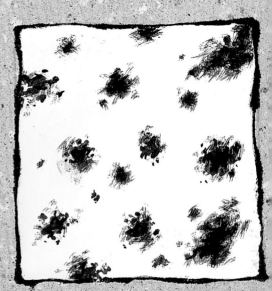

Título original en gallego: **Moncho e a mancha**
Colección **libros para soñar**

© de la edición original: Kalandraka Editora, 2002
© del texto y de las ilustraciones: Kiko Dasilva, 2001
© de la traducción al castellano: Kiko Dasilva, 2002
© de esta edición: Kalandraka Editora, 2002
Alemania 70, 36162 Pontevedra
Telefax: (34) 986 860 276
editora@kalandraka.com
www.kalandraka.com

Diseño: equipo gráfico de Kalandraka
Impreso en Tilgráfica - Portugal

Primera edición: octubre, 2002
DL: PO.494.02
ISBN: 84.8464.172.4

PARA MI MUUUSA, ANA.

MONCHO
Y LA
MANCHA

Kiko Dasilva

kalandraka

A MONCHO LE GUSTABA MUCHO DIBUJAR: DE UN TRIÁNGULO HACÍA UN MONTE

DE UN CUADRADO, UNA CASA. DE UN CÍRCULO, UNA CARA...

MONCHO LO PINTABA TODO. LA CAMA, EL MANTEL, LA NEVERA, AL ABUELO...

UN DÍA, MONCHO DIBUJÓ TANTO QUE SU MADRE...

TUVO QUE ASPIRAR TODA LA CASA PARA ENCONTRARLO.

EL CALENDARIO TRAJO EL INVIERNO Y CON ÉL,

SU CUMPLEAÑOS,

UNA TARTA CON OCHO VELAS

Y UN REGALO.

¡QUÉ ALEGRÍA VER AQUELLA CAJA DE ACUARELAS

CON LOS CÍRCULOS DE COLORES Y EL PINCEL!

MONCHO PASÓ TODA LA TARDE DIBUJANDO

MONCHO DESCUBRIÓ QUE EN UNO DE AQUELLOS

PAPELES BLANCOS

HABÍA UNA EXTRAÑA MANCHA NEGRA.

SE ACOSTÓ
BOCA ABAJO
Y LA MIRÓ:

¿SERÍA
UN OJO?

¿SERÍA
UN GATO?

¿LA CERRADURA
DEL ARMARIO?

MUY INTRIGADO, MONCHO TOMÓ EL PAPEL

Y FUE A ENSEÑÁRSELO A SUS AMIGOS...

JULIÁN LE DIJO
QUE AQUELLO
ERA UN TROZO
DEL ESPACIO.

MARÍA LE DIJO
QUE AQUELLO
ERA UN ESTROPAJO.

ANDRÉS, CONVENCIDO DE QUE ALLÍ NO HABÍA NADA, LE DIJO:

¡TÚ ESTÁS MÁS LOCO QUE UNA CABRA!

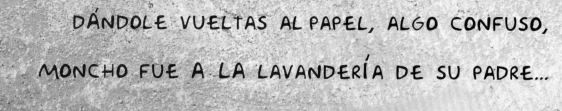

DÁNDOLE VUELTAS AL PAPEL, ALGO CONFUSO,

MONCHO FUE A LA LAVANDERÍA DE SU PADRE...

NO SÉ QUÉ PODRÁ SER.

VE JUNTO A MINIO, EL MECÁNICO,

¡ES TODO UN ESPECIALISTA EN MANCHAS!

POR EL CAMINO,
MONCHO SE ENCONTRÓ CON EL BARRENDERO.

LE PUSO EL PAPEL DELANTE Y EL HOMBRE REFUNFUÑÓ:

¡OTRA

PORQUERÍA

MÁS!

ENFADADO Y CON LOS OJOS LLENOS DE LÁGRIMAS,

MONCHO SE FUE CORRIENDO AL TALLER DE MINIO...

¡ESO TIENE PINTA DE SER
UNA FUGA DE ACEITE!

MONCHO

TAMPOCO SE QUEDÓ

MUY CONVENCIDO,

ASÍ QUE SIGUIÓ CAMINANDO

SIN DEJAR DE MIRAR

AQUELLA MANCHA.

AL POCO RATO

LLEGÓ JUNTO A UNA MUJER

QUE ARABA LA TIERRA:

¡ESO PARECE EL LUNAR

QUE MI MARIDO

TIENE EN LA CALVA!

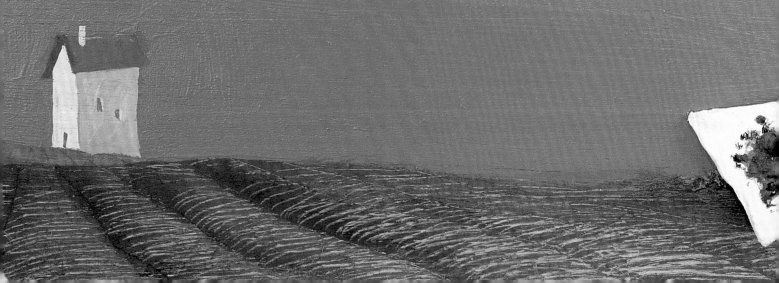

DECEPCIONADO,
MONCHO SE ECHÓ A ANDAR POR EL CAMPO
HASTA QUE TROPEZÓ CON UN CERDO
QUE HURGABA EN EL CUBO DE SU COMIDA.

DE PRONTO, ALGO LE RECORDÓ LA MANCHA;

VOLVIÓ A MIRAR EL PAPEL, PERO...

¡TAMPOCO ERA AQUELLO!

DOS PASOS MÁS ADELANTE,

SE ENCONTRÓ UNA OVEJA

QUE PACÍA TRANQUILAMENTE.

LA OBSERVÓ BIEN, PERO...

DE REPENTE,

EN MEDIO DEL PRADO,

MONCHO VIO

UNA MANCHA ENORME...

CON UN RABO QUE ESPANTABA

MANCHÍTAS MÁS PEQUEÑAS...

ENTONCES EL CORAZÓN DE MONCHO DIO UN BRINCO.

¡QUIÉN SE LO IBA A DECIR!

SU MANCHA ERA...

HOY

MONCHO ES UN ARTISTA

DEL QUE TODO EL MUNDO HABLA.

MONCHO SABE

QUE PINTA...